Byron Barton
Mon bus

l'école des loisirs

11, rue de Sèvres, Paris 6ᵉ

Je m'appelle Joe.

Ça, c'est ma voiture.

Ça, c'est mon bus.

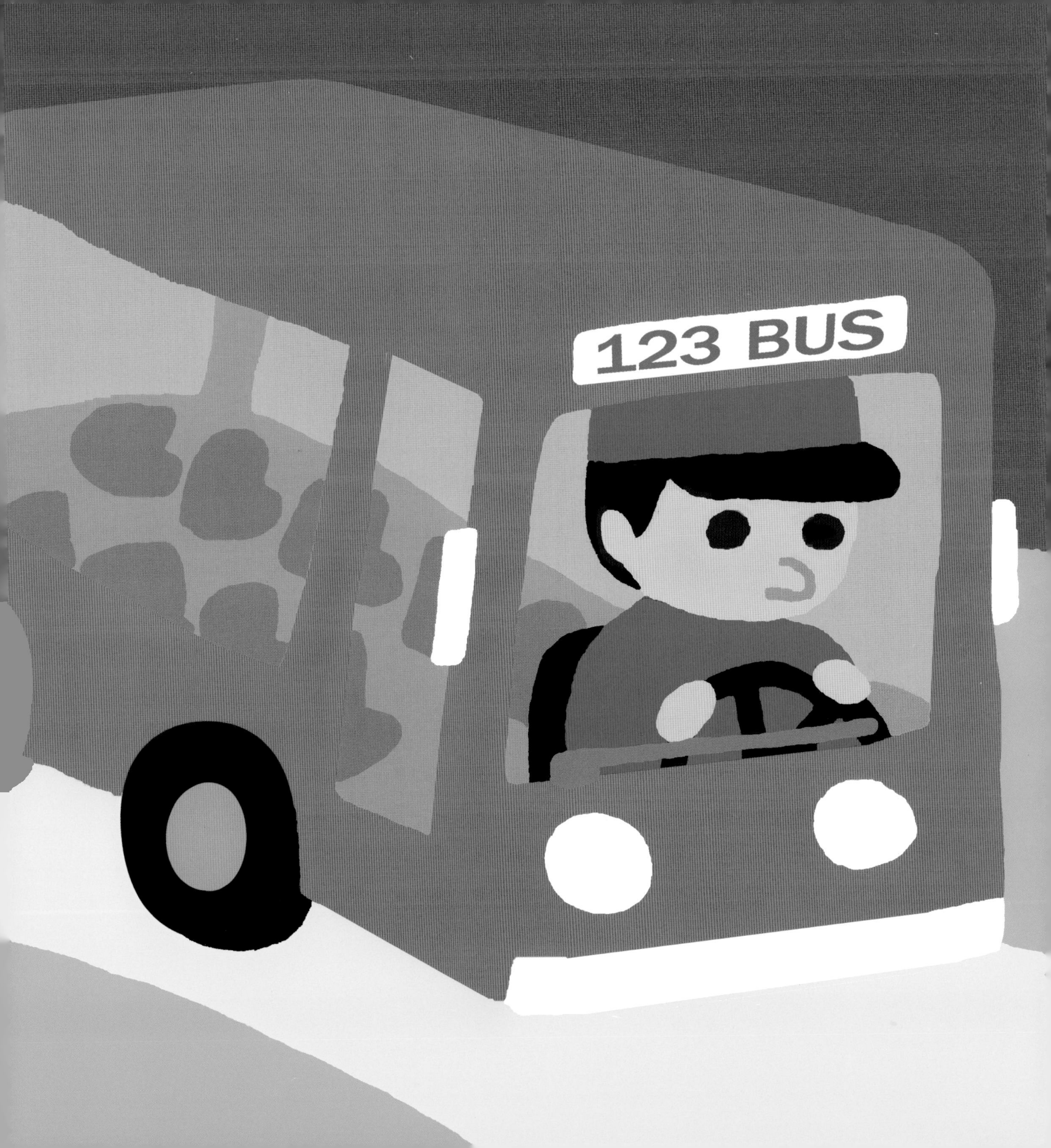
123 BUS

Je vais en ville avec mon bus.

Au premier arrêt,

un chien monte dans mon bus.

Au deuxième arrêt,

deux chats montent dans mon bus.

Au troisième arrêt,

trois chats montent dans mon bus.

Au dernier arrêt,

quatre chiens montent dans mon bus.

Il y a cinq chiens et cinq chats

à bord de mon bus.

Je conduis un chien et deux chats

jusqu'au bateau.

Ils partent sur la mer.

Je conduis deux chiens et un chat

jusqu'au train.

Ils filent sur les rails.

Je conduis un chien et deux chats

jusqu'à l'avion.

Ils s'envolent dans les airs.

Cinq chats et quatre chiens
s'en vont sur la mer,
sur les rails, dans les airs.

Je gare mon bus. Je descends.

Un chien descend.

Je conduis un chien chez moi.

C'est mon chien! Ouah Ouah.

Miaou.